United!

Eirug Wyn

United!

Argraffiad cyntaf: Cwmni Iaith Cyf., 1996
Chweched argraffiad: Y Lolfa Cyf., 2014

Cyhoeddwyd yn wreiddiol gyda chefnogaeth ACCAC
fel rhan o Gyfres y Dolffin.

ISBN: 0 86243 676 1

Cyhoeddwyd yng Nghymru
ac argraffwyd ar bapur di-asid a rhannol eilgylch
gan Y Lolfa Cyf., Talybont, Ceredigion SY24 5AP
e-bost ylolfa@ylolfa.com
gwefan www.ylolfa.com
ffôn (01970) 832 304
ffacs 832 782
isdn 832 813

Pennod 1

Roedd pawb yn y dosbarth yn gwrando'n astud. Wel, pawb ond dau. Roedd Ivor "Yr Injan" Wynne, yr athro Gwyddoniaeth, yn sôn am drefniadau'r trip sgïo.

"Ac felly. . . !" meddai Ivor Wynne, gan rwbio'i fwstash yn ddi-baid, nes bod olion olaf ei ginio wedi diflannu.

"Ac felly, pawb i fod yn stesion Llandudno am saith. S-a-i-th!" meddai eto, gan godi'i lais ac edrych i gyfeiriad Dafydd a Wayne. Ond roedd meddyliau Dafydd "Dingo" Bee a Wayne Ellis ar y cardiau o dan y ddesg. Roedd pennau'r ddau wedi gwyro.

"Pontŵn!" gwaeddodd Dingo'n uchel, gan bwyntio at yr A a'r Brenin.

Chwarddodd y dosbarth i gyd. Cododd y ddau eu pennau'n sydyn.

"Diawl bach lwcus!" sibrydodd Wayne dan ei wynt. Estynnodd ddarn ugain ceiniog o'i boced a'i roi yn slei bach i Dingo.

"Ellis a Bee!"

"Ie, Syr?" meddai Dingo a Wayne gyda'i gilydd.

"Beth ydych chi'n ei wneud?"

"Chwarae pontŵn, Syr!"

"Chwarae? Pontŵn?!" ailadroddodd yr athro y ddau air, gyda syndod lond ei lais.

"Ie, Syr," meddai Wayne. "Chwarae pontŵn!"

Roedd yr athro'n gwylltio. Roedd Dingo a Wayne yn gwybod mai'r ffordd orau i'w wylltio'n waeth oedd bod yn ddi-hid.

"Chwarae!! Pontŵn!!"

Roedd lliw wyneb yr athro yn newid o glaerwyn i waedgoch.

"Fi enillodd Syr!" meddai Dingo.

"Allan!" sgrechiodd Ivor Wynne nerth ei ben. "Allan â chi! Ac at ddrws y Prifathro!"

Edrychodd Dingo ar Wayne cyn codi a chychwyn allan drwy'r drws. Doedd o ddim wedi disgwyl hyn.

"Ond Syr. . . ?" dechreuodd brotestio.

Roedd llais main Ivor Wynne wedi troi'n wich.

"Allan! Allan! Allan!" gwichiodd.

Ac allan â nhw. I lawr y coridor ac at ddrws Jonathan Price, y Prifathro.

Roedd Ivor Wynne yn cerdded o ochr i ochr y tu ôl iddyn nhw. Roedd o fel ci, yn gyrru defaid i gorlan.

Llyncodd y ddau fachgen eu poer. Roedd yr athro yn curo'n ffyrnig ar ddrws ystafell y Prifathro. Doedden nhw ddim wedi meddwl y buasai Ivor-yr-Injan wedi gwylltio cymaint.

Roedd gan Dingo reswm arbennig dros beidio ymddangos yn fachgen drwg o flaen Y Pry. Roedd o mewn cariad hefo Jennifer Price, ei ferch!

"Ie!" gwaeddodd llais o'r tu draw i'r drws.

Aeth Ivor i mewn a chau y drws ar ei ôl. Roedd y ddau yn medru ei glywed yn dweud ei gwyn wrth y Prifathro. Ymhen ychydig, daeth allan.

"Ewch! I mewn at Mr Price!" meddai'n chwyrn.

Roedd Jonathan Price yn ŵr mawr, cryf, gyda phen moel yn sgleinio fel bonet *Jaguar*. Felly hefyd ei dalcen a'i wyneb. Doedd o byth yn gwenu. Roedd o bob amser yn gwgu.

"Chwarae pontŵn?" rhuodd.

"Ie, Syr," meddai'r ddau fel deuawd.

"Rydw i wedi fy siomi ynoch chi, Dafydd Bee. A chithau Wayne Ellis!"

Yna aeth yn ei flaen i sôn am safonau, a bihafio, a pharchu athrawon ac ymlaen ac ymlaen. Yna meddai:

"Rydych chi eich dau yn mynd i sgïo i Awstria."

Cododd y ddau eu pennau. Doedd o erioed am eu gwahardd o'r trip am chwarae cardiau?

"Rydych chi yn lwcus eich bod chi'n cael mynd! Er hynny, mae Mr Wynne a minnau yn teimlo fod rhaid i ni eich cosbi."

Oedodd Jonathan Price am eiliad. Roedd o am i'r ddau ddioddef ychydig. Edrychodd ar ei gyd-athro. Roedd yna hanner gwên ar wyneb Ivor-yr-Injan. Cododd ei law chwith i anwesu ei fwstash. Roedd o'n mwynhau dial.

Carthodd y Prifathro ei wddw cyn rhoi ei ddedfryd.

"Fydd yr un ohonoch chi yn chwarae i'r ysgol yn y gêm brawf i dîm y sir y prynhawn yma!"

"Ond Syr!"

"Allan!"

Roedd Dingo yn gwybod nad oedd bwrpas iddo brotestio. Roedd Ivor-yr-Injan wedi cael ei ddial. Roedd o'n gwybod cymaint roedd o a Wayne eisiau chwarae i dîm pêl-droed y sir.

"Yr hen ddiawl iddo fo!" meddai Dingo wrth gerdded nôl tua'r dosbarth. "Aros di Wayne! Mi dalwn ni nôl iddo fo!"

Roedd pawb o'u ffrindiau ar dân eisiau gwybod beth oedd wedi digwydd.

"Oedd Dad yn gas?" holodd Jennifer, wrth iddi gerdded ar gae'r ysgol gyda Dingo amser chwarae. Roedd Wayne a Gloria yn cerdded gyda nhw.

"Roedd dy dad yn iawn!" atebodd Dingo. "Ivor-yr-Injan oedd y drwg."

"Roedd o wedi gwylltio'n uffernol!" meddai Wayne.

"Oedd ei wyneb o'n goch?"

"Fel bitrwt!" cellweiriodd Dingo.

"Ac Ivor-yr-Injan yn wyn fel taten!" meddai Wayne.

Yn sydyn, arhosodd Dingo. Trodd at y lleill â gwên ar ei wyneb.

"Wrth gwrs!" gwaeddodd. "Dyna wnawn ni! Dyna sut y talwn ni nôl i Ivor!"

"Be?" holodd Gloria. "Am be wyt ti'n sôn?"

"Tatws!" gwaeddodd Dingo, gan redeg tuag at gegin yr ysgol. "Dowch!"

Cnociodd Dingo ar wydr ffenestr y cantîn. Daeth Mrs Jones ato.

"Be wyt ti isio'r trychfil bach?" gofynnodd iddo. Ond roedd gwên lydan ar ei hwyneb. Roedd hi'n hoffi Dingo.

"Tatws go fawr plîs. Un neu ddwy wnaiff y tro."

"I be wyt ti isio tatws?"

"Gwers arlunio – gwneud print tatws i Wil Art!"

Ysgwydodd Mrs Jones ei phen. Roedd hi'n amau nad oedd Dingo'n dweud y gwir. Ond dyna fo, plant oedd plant! Aeth i'r sach datws ac estynnodd ddwy daten fawr iddo.

"Paid â gwneud drygau'r trychfil bach!"

"Pwy fi?" gofynnodd Dingo'n ddiniwed.

Ysgwydodd Mrs Jones ei phen eto wrth ei weld o a'i ffrindiau'n cerdded i ffwrdd.

* * *

"Estyn hi yma! Brysia!"

Roedd Dingo ar un ben-glin yn smalio cau carrai ei esgid. Roedd o'n penlinio y tu ôl i *Rover* newydd Ivor-yr-Injan. Roedd o newydd stwffio un o'r tatws i fyny piben yr egsôst, ac yn gofyn i Wayne am y llall.

"Wyt ti wedi'i stwffio hi i fyny?" holodd Wayne. Roedd mymryn o gryndod yn ei lais.

"Cadwa di dy lygaid ar ddrws yr ysgol, rhag ofn i rywun ddod!" hysiodd Dingo.

Cododd Wayne ei lygaid. Dyna pryd y gwelodd o *Hopalong* Davies, gofalwr yr ysgol, yn dod yn syth amdanynt.

"Mae *Hopalong* yn dod!" hanner gwaeddodd ar Dingo.

Ond roedd Dingo wedi gweld *Hopalong* hefyd. Cododd ar ei draed a dechrau cerdded efo Wayne tuag at giât yr ysgol.

Taflodd y ddau gipolwg nôl. Doedd hi ddim yn ymddangos fod *Hopalong* wedi sylwi ar ddim byd.

Hynny yw, dim hyd nes iddo glywed andros o glec rhyw chwarter awr yn ddiweddarach. Roedd yn union fel petai gwn wedi cael ei danio. Pan redodd *Hopalong* i gyfeiriad y sŵn, roedd tyrfa fechan o athrawon o gwmpas car Ivor-yr-Injan. Roedd Ivor yn wyn fel y galchen, ac yn pwyso ar fonet ei gar. Roedd mwg gwyn a glas yn llifo drwy'r gril ym mhen blaen y car, ac roedd Y Pry yn ceisio cysuro'r athro.

"Wnes i dd-ddim byd . . . dim ond c-cychwyn y c-car . . . ac wrth i mi f-fagio . . . dyma g-g-glec!" Roedd Ivor yn siarad fel dyn ag atal dweud arno.

"Edrychwch!"

Roedd *Hopalong* wedi cerdded at gar Y Pry, yn union y tu ôl i *Rover* Ivor. Pwyntiodd at y bympar. Ar hwnnw roedd yna rhyw lysnafedd brown a gwyn, yn llithro'n araf bach i'r llawr.

Cerddodd Y Pry ato. Rhoddodd ei fys yn y slwtsh a chododd ef at ei drwyn.

"Tatws!" meddai'n ffyrnig.

A dyna pryd y cofiodd *Hopalong*.

"Dingo Bee! A hogyn Ted Ellis!" gwaeddodd. Roedd y ddau yn plygu i lawr yn fa'ma rhyw chwarter awr nôl!"

Pennod 2

Roedd y newyddion am y glec wedi cyrraedd y rhan fwyaf o'r plant cyn iddyn nhw gychwyn i'r ysgol drannoeth.

Roedd Jonathan Price wedi cyrraedd adref o'r ysgol yn wyllt gacwn y noson honno. Roedd o wedi rhybuddio Jennifer nad oedd hi i wneud un dim â Dafydd Bee na Wayne Ellis byth mwy! Roedd o wedi dweud wrthi beth oedd wedi digwydd. Roedd o hefyd wedi dweud y byddai'n galw'r ddau i gyfrif drannoeth.

Roedd Jennifer, wrth gwrs, wedi ffonio Dingo'n syth bin. Roedd yntau wedi dweud wrth Gloria, ei chwaer. Aeth y ddau ohonyn nhw i weld Wayne. Bu'r tri yn trin a thrafod am oriau. Ond i'r un canlyniad roedden nhw'n dod bob tro. Mi fyddai yna dipyn o le yn yr ysgol drannoeth!

* * *

Roedd llawer o holi a stilio ar y bws yn y bore.

"Be wnest ti Dingo?"

"Roedd hi'n gythraul o glec!"

"Ivor-yr-Injan jest â chael hartan!"

"Cewch chi *suspension*!"

Roedd Wayne yn teimlo'n bryderus. Roedd o'n trio gwenu, ond ymgais i fod yn ddewr oedd hi. Roedd ei du mewn yn crynu fel jeli. Beth ar wyneb y ddaear ddaeth dros ei ben? Ar Dingo roedd y bai! Edrychodd arno.

Roedd Dingo yn ymddangos yn hunanfeddiannol. Doedd o ddim yn poeni mewn gwirionedd. Doedd hyn yn ddim ond un helynt arall. Roedd o wedi bod mewn trafferth o'r blaen – lawer tro.

Roedd o'n cofio taflu'r fasged wasarn allan drwy ffenestr yr ystafell gerddoriaeth – a honno'n glanio'n frawychus o agos at Mrs Evans, *French*. Roedd o'n cofio clymu bwced yn llawn huddyg y tu ôl i fan Harri Post – gan wybod y buasai hwnnw yn cychwyn o iard yr ysgol fel ffŵl gwirion. Roedd o'n cofio hefyd tywallt potel fechan o fodca i danc y pysgod aur yn yr ystafell wyddoniaeth. Doedd o erioed wedi cael dim byd gwaeth na phryd o dafod, neu ychydig ddyddiau o *suspension*.

Ond roedd hyd yn oed Dingo yn amau fod pethau am fod yn waeth y tro hwn.

Roedd Y Pry yn disgwyl am y ddau wrth giât yr ysgol.

"Bee! Ellis! I fy ystafell i!" chwyrnodd. Pwyntiodd at ei ystafell a gwaeddodd, "Ewch!"

Cerddodd y ddau yn syth drwy ganol y plant eraill. Roedd Y Pry yn dynn wrth eu sodlau, a phawb yn rhythu ar eu holau. Roedd Wayne yn teimlo fel crio. Roedd Dingo yn teimlo fel arwr!

"Sefwch yn fan'a!" bloeddiodd Y Pry y tu allan

i'w swyddfa. Aeth yntau i mewn. Ymhen hir a hwyr daeth *Hopalong* ac Ivor-yr-Injan atynt. Agorodd Y Pry y drws. Ar ôl i'r athro a'r gofalwr fynd i'r ystafell, amneidiodd ar Dingo a Wayne i'w dilyn. Cerddodd y ddau at ddesg Y Pry. Ar ei ddesg, ar soser, roedd gweddill y tatws.

Daeth Y Pry atyn nhw. Safodd o fewn modfedd i wyneb Wayne. Pwyntiodd at y soser. Cochodd Wayne at fôn ei glustiau.

"Wel, Ellis?" gwaeddodd Y Pry. Disgynnodd dafnau bychain o'i boer ar ochr wyneb Wayne.

"Sori Syr! . . . " cychwynnodd Wayne.

"O! Rydych **chi'n** cyfaddef felly?"

Plethodd Y Pry ei ddwylo. Roedd hyn am fod yn hawdd. Roedd o'n amau y byddai'r ddau yn gwadu'r cyfan. Roedd o'n falch rŵan mai gyda Wayne Ellis y dechreuodd ar yr holi.

Yn llawn hyder trodd at Dingo.

"Bee?"

"Sori Syr!"

"Ydych chi'ch dau yn cyfaddef?"

Edrychodd y ddau ar ei gilydd. Dingo oedd y cyntaf i nodio'i ben. Yna nodiodd y ddau. Trodd y Prifathro at y gofalwr.

"Mr Davies, mi gewch chi fynd!"

Aeth *Hopalong* allan. Edrychodd Y Pry ar y ddau.

Cyn iddo ddweud dim, ceisiodd Dingo siarad.

"Syr, mi liciwn i ddweud mai fi wnaeth . . ."

Gwyrodd Y Pry ato, fel bod ei wyneb o fewn ychydig fodfeddi i wyneb Dingo.

"O! Dyna liciwch chi ddweud, ie?" meddai'n goeglyd. "Chwarae'r arwr mawr, ie Dafydd Bee? Hmm? Mae Mr Wynne a minnau wedi bod yn siarad yn hir. Mae'n rhaid i chi gael cosb drom y tro yma. Mae hyn yn beth difrifol."

Gadawodd i eiliadau hirion fynd heibio cyn mynd ymlaen. Roedd pob math o bethau yn chwyrlïo drwy feddyliau Wayne a Dingo.

"Pe baech chi wedi gwadu, mi fyddech wedi cael o leiaf fis o *suspension*. Ond gan i chi gyfaddef yn syth, mi fydd wythnos yn ddigon."

Arhosodd eto. Wel! meddyliodd Dingo, dim ond wythnos. Gallai fod yn waeth! Mi roedd hi'n waeth!

"Yn ogystal â hynny, rydych chi'ch dau wedi'ch gwahardd rhag mynd ar y trip sgïo. Mi fydd yna lythyr yr un i chi fynd adref i'ch rhieni."

"Ond Syr. . .!" dechreuodd Dingo brotestio.

Fflachiodd llygaid Y Pry. Tawelodd protest Dingo.

"Dowch yma ymhen hanner awr i nôl eich llythyrau. Wedi hynny, dydw i ddim eisiau eich gweld yn yr ysgol. Dim nes fydd pawb nôl o'r trip sgïo. Deall?"

Nodiodd y ddau. Roedd rhywfaint o ryddhad ar wyneb Wayne. Ond roedd gwaed Dingo'n berwi.

Bu'r ddau yn cicio'u sodlau yng nghwmni'r merched am hanner awr. Roedd golwg bryderus ar wynebau Jennifer a Gloria wrth i'r hanner awr ddod i ben.

"Mi fydd Dad a Mam yn wallgof hefo ti!" meddai Gloria wrth Dingo. "Dim ond newydd ddechrau anghofio'r tro d'wetha maen nhw!"

"Gymrwn ni bethau fel maen nhw'n dod! Ynte Wayne?"

Ceisiodd hwnnw ei orau glas i wenu ar ei ffrind. Roedd Wayne yn amau fod Dingo'n mwynhau'r holl ffiasco!

"Reit!" meddai Dingo. "Mae'n bryd i ni fynd i ffau'r llewod! Gwelwn ni chi ym mhen draw'r cae amser *break*."

Ac i ffwrdd â nhw i swyddfa'r Pry.

Doedd dim golwg o'r Prifathro. Mrs Franny, yr ysgrifenyddes, estynnodd eu llythyrau iddyn nhw. Rhoddodd y ddau y llythyrau'n saff yn eu pocedi. Yna cerddon nhw yn syth drwy giât yr ysgol ac at siop y Co-op ar y Sgwâr.

"Be dan ni'n mynd i'w wneud?" holodd Wayne.

"Yn gyntaf, mi gawn ni ddau gan o lagyr bob un. Wedyn mi awn ni i ben draw'r cae am smôc i ddisgwyl y genod."

Aeth Dingo i'r Co-op. Gwnaeth lygaid bach ar Monica oedd wrth y til. Yna prynodd bedwar can o lagyr.

Cerddodd y ddau mewn cylch anferth nes cyrraedd pen pellaf cae chwarae'r ysgol. Yna eisteddon nhw ynghanol y rhedyn, tanio smôc a dechrau llowcio'r lagyr. Estynnodd Dingo lythyr Y Pry o'i boced ac agorodd ef.

"Be ddiawl wyt ti'n wneud?"

Ond roedd hi'n rhy hwyr. Roedd Dingo wedi estyn ei *lighter* o'i boced ac wedi tanio gwaelod y llythyr. Mewn chwinciad roedd y llythyr yn fflam o dân. Yna yn ddim byd ond lludw du.

"Gei di ddiawl o row am hynna!"

"*Tough* tartan!"

Edrychodd i fyw llygaid Wayne. Gwenodd Wayne ac yntau ar ei gilydd. Estynnodd Wayne ei law am y *lighter*. Mewn chwinciad roedd ei lythyr yntau yn llwch du hefyd.

Pan gyrhaeddodd y merched, roedd Dingo a Wayne wedi penderfynu beth i'w wneud.

"Mi fyddwn ni'n dod hefo'r criw ar y trên i Fanceinion!" meddai Wayne.

"Chewch chi ddim siŵr!" meddai Jennifer.

"Wnaiff Ivor-yr-Injan ddim gadael i chi!" meddai Gloria. "Ac yn siŵr i chdi fydd Dad a Mam ddim yn fodlon."

"Fydd Ivor-yr-Injan na Dad a Mam ddim yn gwybod!" atebodd Dingo.

"Mi fedrwn ni guddio ar y trên rhag yr athrawon. A dydan ni ddim yn bwriadu dweud dim adref."

"Be dach chi'n mynd i'w wneud ym Manceinion am wythnos?!" Roedd yna dinc sarcastig yn llais Gloria.

"Mi fyddwn ni wedi cael can punt o bres gwario cyn cychwyn yn y bore. Mi gawn ni rywle i gysgu yn cawn Wayne? Hostel neu westy rhad. . ."

"Dach chi ddim yn gall!" meddai Jennifer. "Dingo! Mi fydd rhywun yn siŵr o ffendio!"

"Dim os caewch chi eich cegau! Fel hyn dw i'n ei gweld hi. Os ddywedwn ni adref, mi gawn ni row. Fel hyn, mae yna siawns na chawn ni ddim row. Os cawn ni'n dal, dim ond un row fawr gawn ni! *Tough* tartan!"

Er ceisio eu perswadio, doedd dim roedd y merched yn ei ddweud yn newid meddwl yr hogiau.

Y noson honno, bu Jonathan Price yn pregethu wrth Jennifer am Dingo a Wayne. Doedd o ddim eisiau dod rhwng Jennifer a'i ffrindiau, ond roedd rhaid iddi fod yn ofalus iawn. Roedd Dingo a Wayne yn siŵr o fynd i drwbwl mawr rhyw ddiwrnod. Doedd o ddim eisiau i Jennifer fynd yn rhan o'u llanastr nhw.

Roedd Wayne yn dawel iawn. Yn wir, roedd ei rieni yn methu deall pam ei fod mor dawel ac yntau'n cychwyn ar y trip sgïo drannoeth! Ffoniodd Gloria a bu'r ddau yn siarad am ryw ddeng munud. Wedi hynny aeth Wayne i'w wely.

"Well i mi gael noson dda o gwsg," oedd yr unig beth ddywedodd o.

Roedd Dingo'n gyffro i gyd. Roedd o'n sôn ac yn sôn am yr holl sgïo a'r hwyl fyddai'n ei gael. Yn syth ar ôl cyrraedd adref o'r ysgol, roedd o wedi:

- pacio ei fagiau;
- estyn ei basport;
- estyn ei bres.

Sylwodd Gloria fod gwên fach ryfedd ar wyneb Dingo. Ysgwydodd ei phen a rhyfeddu at ei brawd. Doedd ei thad na'i mam ddim wedi amau o gwbl.

Pennod 3

"Does dim rhaid i chi fynd â ni reit at y stesion! Mi gerddwn ni o fa'ma!"

Dyna eiriau Dingo wrth ei dad wrth iddyn nhw ddod i olwg y stesion.

"Be am eich bagiau chi? Maen nhw'n drwm."

"Mi fyddwn ni'n iawn yn fa'ma! Stop!"

Arhosodd y car ac aeth y tri allan. Wedi estyn ei fag, trodd Wayne at dad Dingo a Gloria.

"Diolch yn fawr am y lifft."

"Bihafiwch!" oedd unig air y tad cyn gyrru i ffwrdd.

Roedd rhai o'r plant eraill wedi cyrraedd. Roedden nhw'n ffurfio'n grŵp wrth ymyl snac bar y stesion. Aeth Gloria draw atyn nhw. Ciliodd Dingo a Wayne i'r cysgodion. Roedd yna hysbysfwrdd anferth ym mhen pellaf y platfform. O'r tu ôl i hwnnw, roedd y ddau yn medru gweld y rhan fwyaf o'r plant. Ddwy neu dair gwaith, cerddodd Gloria a Jennifer tuag atyn nhw. Ond cytunodd y ddau ei bod yn rhy beryg iddyn nhw fynd at y genod i siarad.

Arhosodd Dingo a Wayne nes oedd pawb wedi mynd ar y trên. Yna mentron nhw fynd arno eu hunain. Aethant i mewn i'r cerbyd olaf un. Pan symudodd y trên yn araf o'r stesion, trodd Wayne at Dingo.

"Be os cawn ni'n dal?" gofynnodd yn bryderus.

Roedd yna wên fach ddieflig ar wyneb Dingo wrth iddo ateb:

"*Tough* tartan!"

* * *

"Piccadilly! Tyrd!"

Y munud y gwelodd Dingo enw'r stesion gafaelodd yn ei fag.

Roedd y siwrnai wedi bod yn hir. Roedd calonnau'r ddau yn eu gyddfau bob tro roedd unrhyw un yn dod trwy ddrws y cerbyd. Roedden nhw wedi bod yn chwarae cardiau am y rhan fwyaf o'r daith, ond doedd yna ddim hwyl ar y gêm.

Neidiodd y ddau allan o'r trên cyn iddo aros. Cyn i'r plant eraill fynd i gyfarfod eu bws, roedd Dingo a Wayne wedi neidio i dacsi ac yn teithio tua'r maes awyr.

Roedd y maes awyr yn un berw gwyllt. Roedd yna bedair mil o gefnogwyr *Manchester United* yn hedfan i'r Eidal, i weld eu tîm yn chwarae A.C.Milan yng Nghwpan UEFA.

Roedd y sŵn yn fyddarol. Roedd gweiddi a siantio'r cefnogwyr yn eco hyd y lle.

"Awn ni i'r bar!" gwaeddodd Dingo ar Wayne. "Cawn ni beint, a gwylio'r lleill yn cyrraedd."

Ac yno, yn sipian lagyr roedden nhw, pan welodd Wayne Ivor-yr-Injan yn arwain y trip sgïo at ddesg

British Airways. Cuddiodd y ddau y tu ôl i un o bileri'r bar. Roedden nhw'n medru gweld Gloria a Jennifer. Roedd y ddwy yn edrych o'u hamgylch – yn amlwg yn chwilio am Dingo a Wayne. Cododd Dingo ar ei draed.

Roedd Gloria'n dal i edrych.

"Weli di nhw Jennifer?"

"Dw i ddim yn meddwl eu bod nhw wedi dod . . ."

"Do'n tad! Welais i nhw yn y stesion!"

"Dydyn nhw ddim yn gall!"

Yn sydyn, gafaelodd Gloria ym mraich Jennifer.

"*God*! Dacw fo Dingo! Sbïa! Draw fan'cw wrth y siop bapur newydd."

Edrychodd Jennifer. Gwelodd Dingo yn sbecian arni y tu ôl i stondin bapurau a chylchgronau. Roedd o'n gwenu fel hogyn drwg. Gwenodd nôl arno. Roedd hi ar fin codi llaw pan sylweddolodd fod Ivor-yr-Injan yn ei hymyl.

"Gawn ni fynd i brynu rhywbeth i ddarllen Syr?"

"Plîs Syr!"

"Pum munud 'ta!" meddai Ivor yn sarrug. "Rydw i isio i bawb gadw hefo'i gilydd nes y byddwn ni yn y lolfa madael."

Rhedodd y ddwy i'r siop, ac anelu am y pen pellaf. Mewn chwinciad, roedd Dingo a Wayne yno gyda nhw.

"Trip da?" holodd Dingo.

"Nac oedd. *Boring*!" atebodd Gloria. "Diolch i chdi!"

"Paid ti â dechrau gweld bai arnaf i. Os wyt ti isio beio rhywun, pwyntia fys at Ivor-yr-Injan."

Roedd Wayne yn gweld fod y sgwrs yn arwain at

ffrae. Felly ceisiodd sôn am rywbeth arall.

"Pryd dach chi'n hedfan?"

"Ymhen awr a hanner. Ond rydan ni i fod i fynd i'r lolfa madael yn syth," meddai Jennifer. "Mi ddeudodd Ivor y b'asan ni'n cael dod i fa'ma i brynu cylchgrawn."

Bu saib byr. Doedd neb yn gwybod yn iawn beth i'w ddweud. Jennifer dorrodd ar y distawrwydd.

"Dingo?"

"Be?"

"Be wnewch chi?"

Yn ddifeddwl hollol, pwyntiodd Dingo at gefnogwyr *Manchester United*.

"Efallai yr awn ni i Milan i weld gêm *Man U.*!"

"Paid â siarad yn wirion! Be wnewch chi? Go iawn?"

Cododd Dingo'i ysgwyddau.

"Mi arhoswn ni yma am ryw awr neu ddwy. Wedyn, nôl i stesion Picadilly am wn i."

"Gloria! Well i ni fynd! Cyn i Ivor ddod i chwilio amdanom ni. Cym'rwch ofal hogia!"

Ar hynny trawodd Jennifer gusan ysgafn ar foch Dingo. Gafaelodd Wayne yn dynn am Gloria.

"Bihafiwch!" gwaeddodd Dingo fel roedd y merched yn mynd. "A chofiwch – dim hogia!"

Aeth y ddau yn eu holau i fwrlwm y bar, ac eistedd yno am ugain munud. Yna, gwelson nhw Ivor-yr-Injan yn arwain eu ffrindiau tuag at y lolfa madael. Roedd y rhan fwyaf yn edrych yn syth yn eu blaenau. Ond roedd dau bâr o lygaid yn edrych tuag atyn nhw. Chwifiodd y ddau eu breichiau. Ond doedden nhw ddim yn siŵr a oedd Gloria a Jennifer wedi eu gweld.

Ar ôl iddyn nhw ddiflannu trwy ddrws y lolfa, trodd Wayne at Dingo.

"Wel? Be nesa?"

Roedd Dingo wedi dechrau gwrando ar dri gŵr ar y bwrdd nesaf. Doedden nhw ddim yn ffraeo, ond roedd eu lleisiau'n codi yn uwch ac yn uwch.

Y gŵr hefo'r mwstash yn y canol oedd yn arwain y sgwrs. Dechreuodd Wayne wrando arnyn nhw hefyd. Roedd rhai o gefnogwyr *Manchester United* wedi tynnu nôl o'r trip. Roedd pedwar ticed sbâr i'r gêm gan y dynion. Roedden nhw'n dadlau beth i'w wneud â nhw.

Doedd dim amser i adael y maes awyr i geisio eu gwerthu. Wrth gwrs, gallen nhw werthu tocynnau'r gêm yn hawdd ym Milan – ond nid y ticedi hedfan. Dyna pryd y trodd Dingo atyn nhw. Cyfarchodd y gŵr hefo'r mwstash.

Doedd Wayne ddim yn credu ei glustiau! Roedd Dingo yn haglo am ddau bâr o docynnau – ac wedi cynnig £100 yr un amdanyn nhw! Chwarddodd y gŵr hefo'r mwstash. Roedd y tocynnau wedi costio £250. Fedrai o ddim derbyn llai na hanner y pris.

Eglurodd Dingo iddo mai dim ond £100 yr un oedd ganddo fo a Wayne. Yna ymddiheurodd am wneud y cynnig. Trodd nôl at ei ffrind.

"Does gen i ddim £100!" meddai hwnnw'n flin.

Winciodd Dingo arno.

"Paid ag edrych arnyn nhw! Maen nhw'n dadlau am y pris rŵan. Betia i di y cawn ni'r tocynnau!"

"Does gen i ddim pres!" protestiodd Wayne.

"Gen ti tua £100?"

"Oes. Ond ar beth wyt ti'n disgwyl i mi fyw os awn ni i'r Eidal?"

Tapiodd Dingo boced frest ei siaced. Tynnodd waled fechan allan ohoni. O'r waled estynnodd gerdyn banc ei fam.

"Moses! Be wyt ti'n wneud hefo hwnna?"

"*Emergency cash*! Rŵan, gorffen dy ddiod ac mi godwn ni i adael."

Gorffennodd y ddau eu peintiau a chodi. Edrychodd Dingo unwaith ar y gŵr hefo'r mwstash. Nodiodd arno a gwenu. Yna trodd i adael y bar. Roedd Wayne y tu ôl iddo.

Dim ond dau neu dri cham gymerodd y ddau. Gwaeddodd y dyn ar eu holau.

"Esgusoda fi, mêt!"

Trodd Dingo a Wayne. Cerddodd y dyn atyn nhw a daliodd ei law allan.

"Iawn! *Deal*!"

Edrychodd Dingo ar Wayne. Gwenodd y ddau ar ei gilydd.

PENNOD 4

Roedd Jonathan Price yn edrych ymlaen am wythnos o seibiant. Roedd wedi dod i mewn i'r ysgol yn arbennig i glirio ychydig o waith papur.

Roedd o wedi cofnodi hanes yr helynt yn fanwl. Byddai'n rhaid iddo roi adroddiad i lywodraethwyr yr ysgol ar ymddygiad Dafydd Bee a Wayne Ellis, a ffonio rhieni'r ddau.

Roedd yn synnu nad oedd y rhieni wedi cysylltu hefo fo'n barod. Ond feddyliodd o ddim mwy am y peth.

Wrth baratoi i fynd adref, cofiodd eto am Bee ac Ellis. Tybed. . .? Na! Doedd dim posib! Gafaelodd yn y ffôn a deialodd rif ffôn cartref Dafydd Bee.

"Chwech, saith, naw, wyth, un!"

"Mrs Bee?"

"Ie. Siarad."

"Jonathan Price, Ysgol Aberbedw."

"Helo Mr Price. Be gawn ni wneud i chi?"

"Y llythyr gawsoch chi. . ."

"Llythyr? Pa lythyr?"

"Y llythyr yn gwahardd Dafydd o'r ysgol!"

"Ond mae Dafydd yn Awstria!"

"Beth!!!"

"Mae o wedi mynd ar y trip y bore yma! Aeth ei dad ag o i'r stesion erbyn saith!"

Teimlodd Jonathan Price y chwys yn diferu'n araf i lawr ei wddf ac i goler ei grys. Agorodd fotwm top ei grys. Llaciodd ei dei. Roedd o'n teimlo'r gwaed yn codi i'w wyneb. Roedd o ar fin ffrwydro! Yna clywodd lais y pen arall i'r ffôn.

"Mr Price!"

"Ie?"

"**Mae** o ar y trip, yn tydi?"

"Tydi o na Wayne Ellis ddim i **fod** ar y trip, Mrs Bee! Gaf i eich ffonio chi nôl?"

Rhuthrodd Jonathan Price i'r cwpwrdd ffeilio. Estynnodd ffeil y trip sgïo. Chwiliodd am rif ffôn y maes awyr. Dyrnodd y rhifau ar y ffôn.

"Maes awyr Manceinion!"

"*Flight* DN345 i Awstria! Mae gen i neges bwysig i un o'r teithwyr."

"Mae *Flight* DN345 wedi mynd ers tri munud, Syr. Os ydi o'n fater pwysig, gallwn ni gysylltu gyda'r peilot."

"Mi ffoniaf i nôl mewn munud!"

Rhoddodd Jonathan Price y ffôn nôl yn ei grud. Cuddiodd ei wyneb hefo'i ddwylo.

"Y b-a-s-d-a-d-s bach!" meddai.

Yna, sylweddolodd yn sydyn beth roedd o newydd ei ddweud. Cododd ei ben ac edrychodd o'i gwmpas. Na, doedd neb yno.

"Y b-a-s-d-a-d-s bach!" meddai eto.

* * *

Roedd Dingo a Wayne wedi blino ar siarad y swyddog. Wrth estyn eu tocynnau iddyn nhw, roedd o'n parablu a pharablu.

"Eich enwau chi sydd ar y tocynnau hedfan rŵan, a rhif eich pasborts chi. . . felly bihafiwch! Cofiwch wneud yn union fel mae'r dynion diogelwch yn ei ddweud. Cofiwch gadw hefo'r criw. Peidiwch â mynd i grwydro. Rhaid mynd ar eich union i'r cae. Fydd yna ddim yfed alcohol ar yr awyren – rheol UEFA," ac ymlaen ac ymlaen.

Yn sydyn, fflachiodd neges ar y sgrîn uwch eu pennau. Roedd yn amser mynd ar yr awyren! Cododd tua thri chant o gefnogwyr fel un gŵr. Llyncodd pob un ei beint a dechrau cerdded y coridor hir at yr awyren.

Roedd Dingo yn cerdded o flaen ei gyfaill. Wedi mynd ychydig lathenni, dechreuodd y gweiddi.

"Red A-a-army! Red A-a-a-army!"

Gwyrodd Wayne ymlaen at Dingo.

"Biti na chawn ni lysh! Mi fasan nhw'n gwneud rheol wirion fel'na yn b'asan?"

Trodd Dingo yn ei ôl.

"Paid â phoeni! Mi gawn ni lysh!"

"Be wyt ti'n feddwl?"

Pwyntiodd Dingo at boced frest ei siaced.

"Be?" holodd Wayne eto. "Sgin ti lysh?"

Estynnodd Dingo ei law i'w boced, a hanner dangosodd fflasg-din ei dad i Wayne.

"Mae'n llawn *Pernod*!"

"Be am reolau UEFA?"

"*Tough* tartan!"

O lwnc i lwnc, ac o fodfedd i fodfedd, diflannodd y *Pernod* o fflasg-din tad Dingo. Roedd y ddau wedi bod yn tywallt diod o ddŵr iddyn nhw eu hunain; yna'n rhoi joch o'r *Pernod* ar ben y dŵr. Ac O, roedd o'n dda!

Wrth iddyn nhw nesáu at Milan, aeth lleisiau'r ddau yn uwch ac yn uwch. Ar un adeg bu'n rhaid i un o'r stiwardiaid ddod atyn nhw, a gofyn iddyn nhw siarad yn ddistawach! Edrychodd Wayne a Dingo ar ei gilydd a gwenu.

"Dw i isio pi-pi. . . yn ofndawy!" meddai Wayne. Ceisiodd godi o'i sedd.

Ond methodd. Roedd ei wregys diogelwch yn ei ddal yn sownd.

"Helpa fi Dingo!"

Chwarddodd Dingo. Roedd Wayne yn methu datod y bwcl.

"Dingo!"

Rhywsut llwyddodd Wayne i ryddhau ei hun. Rhedodd i gefn yr awyren. Roedd pedwar yn ciwio i gael mynd i'r tŷ bach.

"Plîs!" gwaeddodd Wayne. "Plîs! Plîs!! PLÎS!"

Chwarddodd tri ohonyn nhw, a dweud wrth Wayne am eu pasio. Ond doedd y cyntaf yn y ciw ddim am ildio ei le.

Croesodd Wayne ei goesau. Brathodd ei wefus isaf. Yna, pan glywodd sŵn y drws yn agor, gafaelodd yng nghoes y gŵr o'i flaen.

"Plîs! Syr!" Gosododd ei ddwylo wrth ei gilydd fel pe bai'n gweddïo.

"Tyrd 'laen Len!" gwaeddodd rhai yn y ciw. "Gad

i Taffi Bach gael gwagiad!"

"Dos yn dy flaen!" ildiodd hwnnw.

Erbyn hyn roedd Dingo wedi cyrraedd.

"Gad y drws yn agored!" gwaeddodd ar Wayne. "A gwna iddi bara o leia dri munud!"

Trodd Dingo at y person agosaf ato. Cochyn hwyliog yr olwg. Dangosodd bapur pumpunt iddo.

"Betia i di *fiver* yn erbyn deg, y bydd o'n pi-pi am o leia dri munud!"

"Dim peryg!"

Slapiodd Dingo'r papur pumpunt ar gledr ei law. Mewn chwinciad roedd degpunt wedi ymddangos yn llaw'r cochyn hefyd.

Gwrandawodd y ddau. Clywsant sŵn dŵr yn tasgu i'r pan yn y tŷ bach. Roedd Dingo a'r cochyn yn edrych ar eu watshis. Fel roedd yr eiliadau yn mynd heibio, roedd y cochyn yn edrych yn fwy pryderus. Doedd dim arwydd fod y llif o ddŵr yn arafu.

"Rwyt ti hanner ffordd!" gwaeddodd Dingo.

Roedd yr eiliadau'n diflannu. Munud a hanner, dau funud, dau funud a thri chwarter. Yn sydyn, gyda deng eiliad i fynd, dechreuodd y llif chwyddo! A dechreuodd Dingo gyfrif. . .

"Pump. . . pedwar . . . tri . . . dau . . . un!"

Ond doedd y sŵn dŵr ddim yn arafu! Am ugain eiliad arall aeth ymlaen. Yna stopiodd. Daeth Wayne allan gyda golwg fodlon iawn ar ei wyneb.

Estynnodd Dingo ei law i'r cochyn. Ynghanol sŵn clochdar ei ffrindiau, gwenodd yntau. Estynnodd ei ddecpunt i Dingo. Trodd at Wayne.

"Gen ti fladar fel pêl-droed!"

Pan oedden nhw nôl yn eu seddau, meddai Wayne wrth Dingo:

"Paid â gwneud hynna i mi eto!"

"Mi wnest yn iawn!"

"Dau funud a hanner barodd hi!"

"Bron i dri munud a hanner!" cywirodd Dingo.

Ysgwydodd Wayne ei ben.

"Dau funud a hanner!" meddai. "Mi lenwais i dri chwpan hefo dŵr o'r tap yfed. Sŵn y rheini glywaist ti wedyn!"

Rhoddodd Dingo ei ben yn ei ddwylo.

"Tasa'r cochyn a'i ffrindia'n gwybod mi fasan nhw'n hanner ein lladd ni! Beth petaet ti wedi cael dy ddal?"

Gwenodd Wayne fel hogyn drwg.

"*Tough* tartan!"

Roedd gweddill y daith yn dawel. O'r diwedd, tarodd teiars yr awyren y tarmac ym Milan.

"*Benvenuto Milano!*" meddai llais dros yr awyren.

Roedd Wayne a Dingo yn rhythu allan drwy'r ffenestr fach. Roedden nhw'n gweld prif adeilad y maes awyr yn dod yn nes.

Yna dechreuodd rhai o'r criw weiddi a siantio.

"*Red Aaaar-my! Red Aaaaar-my!*"

Yn y maes awyr, yn disgwyl amdanyn nhw, roedd degau o heddlu. Roedden nhw'n sefyll yno yn rhesi hir.

"Pam fod yna gymaint o gops yma?" holodd Wayne.

"Enw drwg cefnogwyr *Manchester United* wedi

cyrraedd o'u blaenau!" eglurodd Dingo.

"Tyrd! Neu mi gollwn ni'r bws."

Yn araf bach, symudodd y fyddin goch tua'r bysus y tu allan i'r maes awyr.

Edrychodd Wayne a Dingo ar wyneb ambell un o'r plismyn. Roedd yna hen olwg gas ar sawl un. Fel pe baen nhw'n awyddus i gychwyn trwbwl. Ond ar wahân i ychydig o bryfocio a gweiddi, ddigwyddodd dim byd.

Cyn bo hir, roedd traffig gwyllt ac adeiladau Milan yn gwibio o flaen eu llygaid. Roedd y bysus yn mynd yn gyflym tua stadiwm anferth *San Siro*.

"Hen dre hyll!" meddai Wayne.

"Dinas," cywirodd Dingo. "Hen ddinas hyll! A diliw!"

Yna, cyrhaeddodd y bws stadiwm *San Siro*. Syllodd Dingo a Wayne mewn rhyfeddod. Roedd tyrau anferth ym mhob cornel i'r stadiwm, a'r rheini'n troelli'n bell i'r awyr.

"Argian! Dan ni i fod i gerddad i fyny i fan 'cw!" meddai Wayne mewn rhyfeddod.

"Ff-o-o-o-!" meddai Dingo wrth syllu o'i flaen. Fedrai o feddwl am ddim byd arall i'w ddweud!

"Ffo-o-o-o-! " meddai eto.

Roedd yn rhaid cerdded trwy ganol cannoedd o blismyn eto cyn cael mynd i mewn i'r stadiwm.

Edrychodd y ddau ar ei gilydd. Roedden nhw wedi bod yn *Anfield, Goodison Park* ac *Old Trafford*. Roedd Dingo wedi bod ym Mharc yr Arfau unwaith. Ond roedd stadiwm *San Siro* yn frenin i bob un arall – hyd yn oed *Old Trafford* ar ei newydd wedd!

Roedd yna awr a hanner i ddisgwyl tan y gêm. Ond doedd dim ots am hynny.

Bu'r ddau yn eistedd, yn sgwrsio ac yn rhyfeddu. Yn araf bach, roedd y stadiwm yn llenwi. Roedd cefnogwyr A.C.Milan yn chwyddo yn eu nifer a'u sŵn.

Pennod 5

Roedd Y Pry yn wyllt gacwn. Roedd ei ddiwrnod wedi ei ddifetha, diolch i Bee ac Ellis. Erbyn hyn roedd hi'n ganol y prynhawn ac roedd o'n dal yn yr ysgol. Roedd o yno'n disgwyl i Ivor Wynne ei ffonio. Roedd o wedi gadael neges iddo yn y gwesty.

Edrychodd eto ar y cloc. Roedd hi'n tynnu am dri o'r gloch. Dylai ffonio unrhyw funud. Canodd y ffôn, a neidiodd Jonathan Price.

"Ivor?" holodd, wrth godi'r derbynnydd.

"Harri Bee!" meddai llais sarrug y pen arall. "Be sy'n digwydd? A lle mae Dafydd?"

"Dyna liciwn i ei ofyn i chi, Mr Bee!"

"Dw i ar fy ffordd i dy weld di. Mae'n well i ti ateb cwestiwn neu ddau i mi – neu mi fydda i'n galw'r cops!"

"O'r nefi!" ochneidiodd Jonathan Price wrtho'i hun. "Dyna'r unig beth ydw i eisiau! Harri Bee mewn tymer ddrwg!"

"Lle mae Dafydd ni?"

"Mi gafodd ei yrru o'r ysgol ddoe, a'i wahardd rhag mynd ar y trip sgïo. . ."

"Ond mi aeth o ar y trip! Iesgob! Y fi aeth â fo i'r stesion!"

"Doedd o ddim i fod i fynd!"

"Taswn i'n rhedag fy musnas fel rwyt ti'n rhedag yr ysgol, mi faswn i ar y dôl!"

"Be?" Doedd Jonathan ddim yn clywed yn iawn. Rhaid bod signal ffôn symudol Harri Bee yn wan. Yna, aeth y cyfan yn dawel. Rhoddodd Jonathan y ffôn nôl yn ei grud.

Yna rhoddodd ei ben yn ei ddwylo. Roedd o eisiau sgrechian. Sgrechian nes bod y byd i gyd yn ei glywed. Ond chafodd o mo'r cyfle. Canodd y ffôn eto.

Ivor Wynne oedd yno. Roedd o newydd gyrraedd y gwesty, ac mewn panic ar ôl clywed bod rhaid iddo ffonio'r ysgol.

"Dafydd Bee a Wayne Ellis!" holodd Jonathan. "Ble maen nhw?"

"Does gen i ddim syniad!"

"Aeth Harri Bee â'r ddau i'r stesion i gyfarfod y trên. A dyna'r tro olaf i neb eu gweld nhw."

"Doedden nhw ddim ar y trên, Jonathan! Ac yn sicr, doedden nhw ddim ar y bws. A dydyn nhw ddim yma yn y gwesty!"

Roedd Jonathan Price yn gweld ei hun mewn twnnel du! Roedd hyn yn ofnadwy!

Byddai'r heddlu'n cael eu galw. Byddai ei ymddygiad o fel prifathro yn cael ei gwestiynu. Byddai enw da'r ysgol yn cael ei lusgo drwy'r baw. Yn sydyn, cafodd fflach o weledigaeth.

"Y genod!" gwaeddodd i lawr y ffôn. "Efallai fod Gloria a Jennifer ni yn gwybod rhywbeth!"

"Mi ffoniaf i nôl mewn rhyw ddeng munud," atebodd Ivor.

Roedd hi'n hanner awr wedi pump pan gafodd Jonathan Price gadarnhad fod Dafydd Bee a Wayne Ellis wedi hedfan i Milan gyda chefnogwyr *Manchester United*. Erbyn hyn roedd Harri Bee a Ted Ellis yn ystafell y Prifathro hefyd.

Wedi holi'r merched, cawson nhw wybod fod y ddau wedi mynd i'r maes awyr, a'u bod yn cuddio ynghanol cefnogwyr *Man U.* Roedd Harri Bee yn bendant ei farn.

"Mae o wedi mynd i Milan! Y cythraul bach! Mi ladda i o!"

"Wyddoch chi ddim. . ." Ond ni chafodd y Prifathro ddweud gair arall.

"Dw i'n nabod Dafydd ni!"

"Mae o'n gwbl anghyfrifol!"

A dyna pryd y ffrwydrodd Harri Bee. Gafaelodd yn llabedi siaced y Prifathro.

"Os oes yna rywbeth wedi digwydd i Dafydd ni . . . jest oherwydd taten. . ."

Oni bai i Ted Ellis afael ym mreichiau Harri Bee, byddai wedi taro'r dyn. Roedd o'n berwi gan gynddaredd. Cymerodd rai munudau i ddod ato'i hun. Roedd y Prifathro'n eistedd yn ei gadair yn crynu fel jeli.

"P-p-p-peidiwch chi â meiddio gwneud hynna eto!"

"Dydi hyn ddim yn mynd â ni i unlle!" meddai Ted Ellis. "Yr hyn ydan ni isio ydi cael Dafydd a Wayne nôl adref, ble bynnag maen nhw."

"Mi fydd rhaid i ni gael y cops," meddai Harri Bee.

Wedi ychydig funudau o drafod, ffoniodd Harri a Ted eu gwragedd. Yna rhoddodd y ddau dad ganiatâd i'r Prifathro alw'r heddlu.

* * *

Roedd y gêm yn gyflym ac yn gyffrous. Yn anffodus i Wayne a Dingo a phawb arall o gefnogwyr *Manchester United,* A.C. Milan enillodd. Dwy gôl i un oedd y sgôr terfynol. Roedd sŵn eu cefnogwyr yn fyddarol. Roedd siantio côr *Manchester United* yn cael ei foddi gan weiddi'r Eidalwyr.

Bu'n rhaid iddyn nhw aros am awr a hanner cyn cael gadael y stadiwm. Yna aeth pawb yn syth i'r bysus a nôl i'r maes awyr.

Ond wrth gerdded i mewn yno, cafodd Wayne a Dingo sioc! Roedd rhes o blismyn yno eto ac roedd un ohonyn nhw'n dal darn o bapur o'i flaen. Ar hwnnw roedd y geiriau: ***"Urgent message for passengers Bee and Ellis"***.

"Gwranda!" meddai Wayne

Dros yr uchelseinydd, clywsant neges frys i "Ellis a Bee". Roedden nhw i fynd i'r dderbynfa ar unwaith.

"Ond does yna neb yn gwybod ein bod ni yma!" meddai Wayne.

"Ivor-yr-Injan neu'r Pry!" meddai Dingo. "Tyrd!"

Arweiniodd Dingo Wayne heibio i'r plismyn. Yna rhedodd nerth ei draed tuag at ranc y tacsis.

Roedd y cefnogwyr eraill yn rhythu ar y ddau. Edrychodd yr heddlu yn syn hefyd.

"*Il centro Milano!*" meddai Dingo wrth y dyn tacsi.

"Doeddwn i ddim yn gwybod dy fod ti'n siarad Eidaleg," meddai Wayne.

"Tydw i ddim! Dim mwy nag y mae Ivor-yr-Injan yn rhegi mewn Swahili!"

"Ti'n swnio'n dda!"

Wedi hynny, digon tawel fu'r ddau ar y ffordd i ganol y ddinas. Roedd meddwl Wayne nôl yng Nghymru fach. Roedd o'n meddwl am ei dad a'i fam. Roedd o'n meddwl am y row a gâi wedi mynd adref. Roedd o wedi blino. Am braf fyddai bod yn ei wely bach yn y llofft gefn yn cysgu!

Ond nid felly roedd hi! Roedd o yma, ym Milan, gyda Dingo. Ac roedd yr heddlu yn chwilio amdanyn nhw!

Roedd meddwl Dingo'n troi hefyd. Y funud hon hoffai fod hefo Jennifer Price! Ond roedd hi yn Awstria ac roedd yntau ar ffo yn yr Eidal hefo Wayne! Roedd bywyd yn medru bod mor gymhleth! Ac ar Ivor-yr-Injan a'r Pry roedd y bai i gyd. Y nhw ddaru or-ymateb i dric digon diniwed.

Doedd dim amdani ond gwneud y gorau o bethau. Beth oedd cant neu ddau o bunnoedd? Beth oedd ei dad yn ei ddweud hefyd?

"Nid rihyrsal ydi hyn 'sti! Rydym ni yma go iawn, felly rhaid mwynhau!"

Daeth Dingo i benderfyniad.

"Wayne! Rhaid i ni gael pryd Eidalaidd go iawn

heno! Beth bynnag leci di! *Pasta, pizza*... unrhyw beth wyt ti eisiau! Mi gawn ni boteli o win a'r bwyd gorau cyn mynd adref! Ac mi fydd Lena a Harri Bee yn talu!"

Dangosodd Dingo gerdyn banc ei fam iddo a gwenu. Gwenodd ei ffrind nôl.

O! roedd y pryd yn dda!

Dechreuodd hefo potel o win coch *Chianti* a honno'n costio deuddeg punt! Wedyn, cwrs o basta hefo pysgod. Yna, y *pizza* fwyaf i'r ddau ei bwyta erioed. Roedd hi'n anferth! Ac yn llawn caws, tomatos, pupurau gwyrdd a choch a llawer o bethau eraill.

Yna, i goroni'r cyfan, rhyw sglyfaeth o bwdin siocled bendigedig! Wrth sychu ei geg gyda hances fawr wen, meddai Dingo:

"Rhaid i ni redeg i ffwrdd yn amlach!"

"Faint ydi'r gloch?" holodd Wayne.

"Saith... tyrd, dydan ni ddim wedi hanner gweld y ddinas yma eto!"

"Yr hen ddinas hyll yma!" meddai Wayne.

Am ryw ddwy awr, cawson nhw hwyl. Roedden nhw ynghanol Milan. Buon nhw'n edrych mewn rhyfeddod ar Eglwys Gadeiriol Duomo. Roedd hi'n edrych yn hardd o dan lif o olau oren.

Gwelson nhw enw Bryn Terfel ar bosteri y tu allan i dŷ opera enwog *La Scala*. Ond weithiau roedd posib gwneud gormod mewn un diwrnod! Erbyn deg o'r gloch, roedd y ddau yn dechrau blino.

Roedden nhw wedi bod yn cerdded am oriau.

Roedden nhw wedi siarad am bopeth dan haul.

Popeth, ond mynd adref.

Roedden nhw wedi ail fyw pob eiliad o'r gêm.

Roedden nhw wedi dyfalu sut le oedd ar y trip sgïo yn Awstria.

Roedden nhw wedi trafod pam oedd eu henwau ar gerdyn gan yr heddlu, ac yn cael eu galw dros yr uchelseinydd yn y maes awyr.

"Sut oedd y cops yn gwybod ein bod ni yma?" holodd Wayne.

"Rhaid bod cops ein gwlad ni wedi dweud wrthyn nhw."

"Sut oedd y rheini'n gwybod?"

"Rhaid bod Y Pry wedi dweud wrthyn nhw."

Ond doedd Dingo ei hun ddim yn rhy sicr o hynny. Sut ddaeth hi'n amlwg nad oedden nhw wedi mynd i Awstria? Dyna oedd yn pyslo'r ddau. Roedd yn rhaid fod Y Pry wedi cysylltu hefo'u rhieni. Wrth gwrs; dyna oedd wedi digwydd!

"Mae'n siwr fod Y Pry yn disgwyl i Dad neu Mam ffonio'r ysgol ar ôl cael y llythyr. Felly, am eu bod nhw heb wneud, mi ffoniodd o nhw. Dyna ddigwyddodd i ti!"

"Rhaid bod Y Pry felly wedi ffonio i Awstria!"

"Ac Ivor wedi gofyn i'r genod. . . a nhwythau wedi sôn am griw *Man U*. Ie. Roedd ein henwau ni a rhif y pasborts ar y ticedi yn toeddan?"

"Be wnawn ni rŵan?"

Yn sydyn doedd bod ym Milan ddim yn antur. Roedd hi'n dechrau oeri ac roedden nhw wedi blino. Roedden nhw wedi cerdded rownd a rownd ers oriau. Roedd y ddau yn meddwl am adref.

"Sbïa!"

Wayne siaradodd. Roedd o'n pwyntio at adeilad mawr gwyn ar draws y stryd. Roedd y gair "POLIZIA" wedi ei sgrifennu uwchben y drws.

Edrychodd y ddau ar ei gilydd. Dechreuodd Wayne groesi'r stryd. Dilynodd Dingo.

Cyn mynd i mewn, estynnodd y ddau eu pasborts o'u pocedi. Gwenodd Dingo ar Wayne cyn dweud:

"Rŵan mae'r hwyl yn dechrau!"

Pennod 6

"Milan!"

Bu bron i Jonathan Price dagu ar ei frechdan. Roedd o'n gwrando ar Sarjant Puw ar y ffôn.

Roedd Harri Bee yn iawn felly. Roedd y ddau wedi mynd i'r Eidal!

Bu bron iddo weiddi: "Mi ladda i'r diawliaid bach!" dros bob man. Ond o leiaf, roedd o'n falch eu bod nhw'n saff. Wedi'r cyfan, oni bai am y gosb . . .

"Daria!" meddai'n uchel. "Pam mae'n rhaid i mi deimlo'n euog?"

Gafaelodd yn ei frechdan eto. Cnodd hi'n ffyrnig.

* * *

Gwenu ac ysgwyd ei ben wnaeth yr heddwas. Doedd o erioed wedi gweld dau debyg o'r blaen.

Doedd yna fawr o siâp wedi bod ar yr holi. Doedd yr hogiau ddim yn deall Eidaleg a doedd yntau ddim yn deall Saesneg. Ond ar ôl darllen eu pasborts roedd o'n deall mai dyma'r hogiau oedd ar goll.

Yna, cyrhaeddodd y dyn o Lysgenhadaeth Prydain. George Grantham oedd ei enw.

"Pam ddaru chi ddod i'r Eidal?" gofynnodd.

"Cael ein gwahardd rhag mynd i sgïo ddaru ni."

"Pam gawsoch chi eich gwahardd rhag mynd i sgïo?"

"Chwarae pontŵn. . ."

". . . a rhoi taten i fyny egsôst Ivor-yr-Injan."

"Egsôst?. . .Ivor-yr-Injan?"

"Hen athro annifyr!"

Doedd yr heddwas ddim yn meiddio edrych ar Grantham. Roedd o'n gwybod yn ôl tôn llais hwnnw ei fod eisiau chwerthin.

Eglurodd George Grantham y byddai Llysgenhadaeth Prydain yn talu am westy iddyn nhw y noson honno. Bydden nhw hefyd yn talu am eu hedfan nôl i Fanceinion. Caen nhw eu rhoi yng ngofal yr heddlu yno.

Eglurodd ymhellach y byddai eu rhieni yn derbyn bil gan y Llysgenhadaeth am y gwesty ac am y daith adref.

Ar ôl llenwi ffurflenni di-rif, cafodd y ddau eu gyrru i Westy *Ariston* yng nghar George Grantham.

"Gofalwch chi gael noson dda o gwsg! A dim crwydro! Cofiwch fod yna blismyn yn cadw golwg ar y lle."

I sŵn y geiriau yna, gadawodd Grantham a'r plisman nhw yn eu hystafell. Ac am ystafell oedd hi!

"Waaaw-iiiii!"

"Argian! Sbïa!"

Roedd Dingo wedi darganfod rhyfeddodau. Roedd yno:

- bowlenaid o ffrwythau ffres;
- offer i wneud te neu goffi neu siocled poeth;
- deunydd glanhau esgidiau a gwasgu trowsusau;
- teledu hefo llawer o sianelau;
- ffrij yn llawn diodydd! Caniau a photeli o ddiodydd meddal. A rhes o *miniatures* alcoholaidd o bob lliw a llun.

"Pwy f'asa isio gadael fa'ma!"

Bu'n noson hir. Gwagiwyd sawl potel a sawl can o ddiod. Edrychwyd ar sawl sianel cyn i'r ddau syrthio i gysgu o'r diwedd, yn eu dillad, ar eu gwelyau.

Digon tawel oedd y ddau uwch eu brecwast y bore wedyn. Ac ar y siwrnai adref hefyd. Ond o leiaf roedden nhw'n mynd adref. Dyna'r unig gysur.

"Wel, mi gawsom ni weld Milan!" meddai Wayne, wrth ruthro tua'r maes awyr yng nghar swyddogol y Llysgenhadaeth.

"A *Man U!* . . . yn cael cweir!" ychwanegodd Dingo.

"Ac aros mewn gwesty pedair seren!"

"A dwyn lysh!"

"Be?"

Ysgwydodd Dingo boced ei gôt. Clywodd Wayne sŵn poteli.

"*Miniatures!*" sibrydodd yn ei glust.

Chwarddodd Wayne. Fedrai o wneud un dim arall.

Wedi i'r awyren gyrraedd Manceinion, edrychodd Wayne a Dingo drwy'r ffenestr. Roedd yna blisman yn eu haros. Ond, o leiaf, roedd gwên ar ei wyneb.

"Dafydd a Wayne?"

"Ie."

"Wedi bod am dro, ie? Dowch hefo fi hogiau bach!"

Ac allan â nhw. Heibio i ŵr y tollau ac at y brif fynedfa. Roedd rhesi o fysus yn aros yno. Cerddodd y tri heibio iddyn nhw ac at y maes parcio.

Ceisiodd y plisman siarad i'w radio. Ond dim ond sŵn craclio oedd yn dod ohoni. Ysgwydodd ei ben.

"Concrid a dur!" meddai. "Mae'n effeithio ar y derbyniad! Arhoswch chi yma tra dw i'n ffonio."

Ac i ffwrdd â fo.

"Mi gawn ni row a hanner!" meddai Wayne wrth Dingo.

"*Tough* tartan! Beth ydi **un** arall?"

Yna sylwodd Dingo ar boster ar ffenestr un o'r bysus. Yn sydyn, gwaeddodd ar Wayne.

"Edrych ar hwn, Wayne!"

Daeth Wayne ato. Darllenodd Dingo'n uchel.

"Dewch i weld *Old Trafford*! Neidiwch ar y bws hwn a dewch am awr a hanner i stadiwm fwyaf ac enwocaf Prydain. Cyfle i weld y maes, ystafelloedd y chwaraewyr, a mynd o amgylch yr amgueddfa. Troediwch y tir y bu Busby, Best a Cantona'n ei droedio. Profiad i'w drysori! Peidiwch â cholli'r cyfle."

Edrychodd Dingo ar Wayne.

"Waeth i ni gael uffar o row fawr ddim!" meddai, cyn camu ar fws *Old Trafford*.

Oedodd Wayne am ennyd cyn ei ddilyn.

"Mi fydd hi **yn** uffar o row!" meddai.

Trodd Dingo at Wayne a chan wenu dywedodd: "*Tough* tartan!"

Mae dilyniant *United!*

– *Powdwr Rhech!* –

hefyd ar gael!